S0-BDO-569

A PARTE QUE FALTA

Shel Silverstein

Tradução

ALÍPIO CORREIA DE FRANCA NETO

Copyright © 1976, renovado em 2004 by Evil Eye, LLC.

Grafia atualizada segundo o Acordo Ortográfico da Língua Portuguesa de 1990, que entrou em vigor no Brasil em 2009.

Título original
THE MISSING PIECE

Revisão
DAN DUPLAT
ARLETE SOUSA

Dados Internacionais de Catalogação na Publicação (CIP)
(Câmara Brasileira do Livro, SP, Brasil)

Silverstein, Shel, 1930-1999.
A parte que falta / Shel Silverstein ; tradução Alípio Correia de Franca Neto. — 1ª ed. — São Paulo : Companhia das Letrinhas, 2018.

Título original: The Missing Piece.
ISBN 978-85-7406-817-6

1. Poesia: Literatura infantojuvenil. I. Título.

17-10229 CDD-028.5

Índices para catálogo sistemático:
1. Poesia: Literatura infantil 028.5
2. Poesia: Literatura infantojuvenil 028.5

2ª reimpressão

2018

Todos os direitos desta edição reservados à
EDITORA SCHWARCZ S.A.
Rua Bandeira Paulista, 702, cj. 32
04532-002 — São Paulo — SP — Brasil
☎ (11) 3707-3500
www.companhiadasletrinhas.com.br
www.blogdaletrinhas.com.br
/companhiadasletrinhas
companhiadasletrinhas

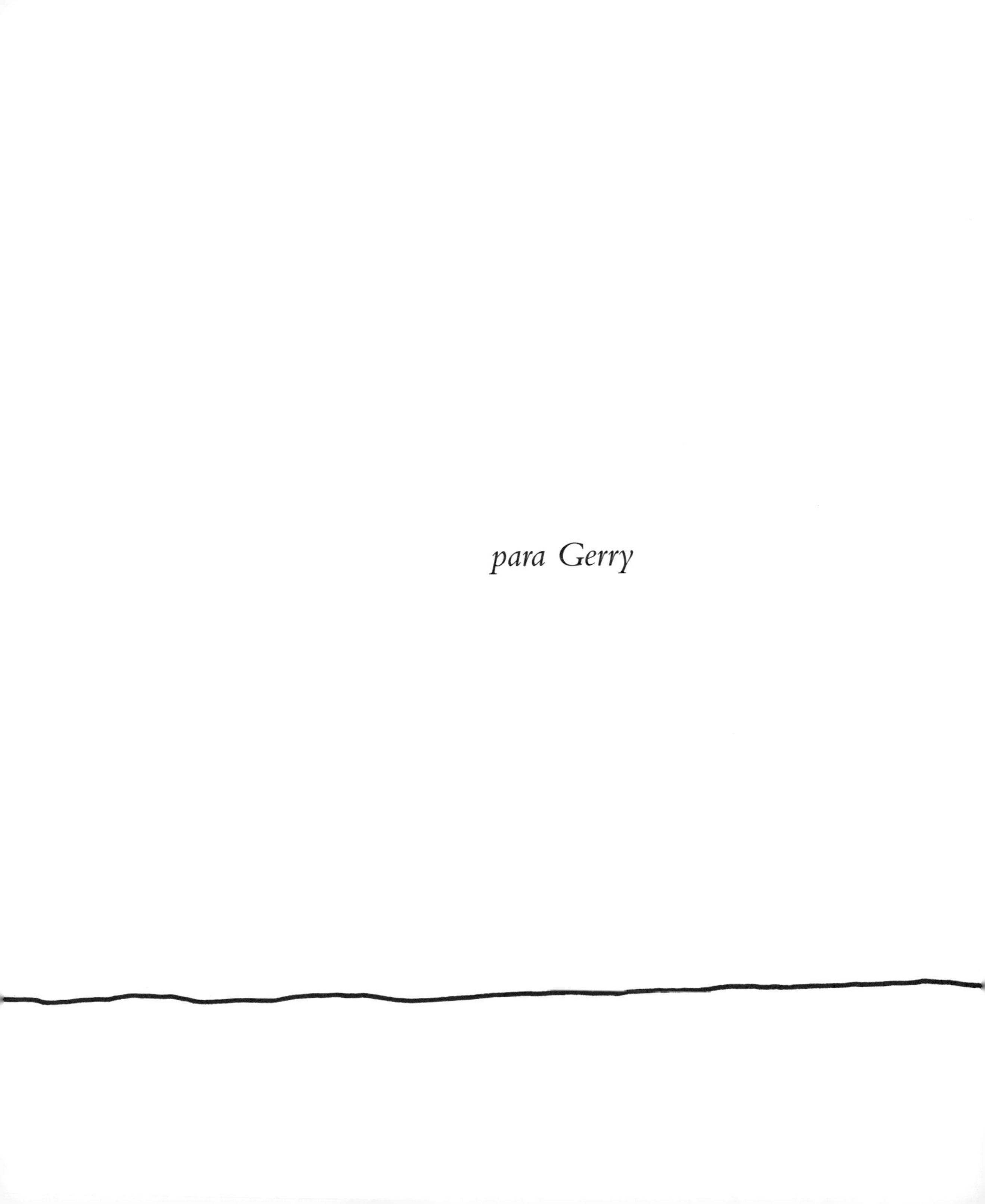

para Gerry

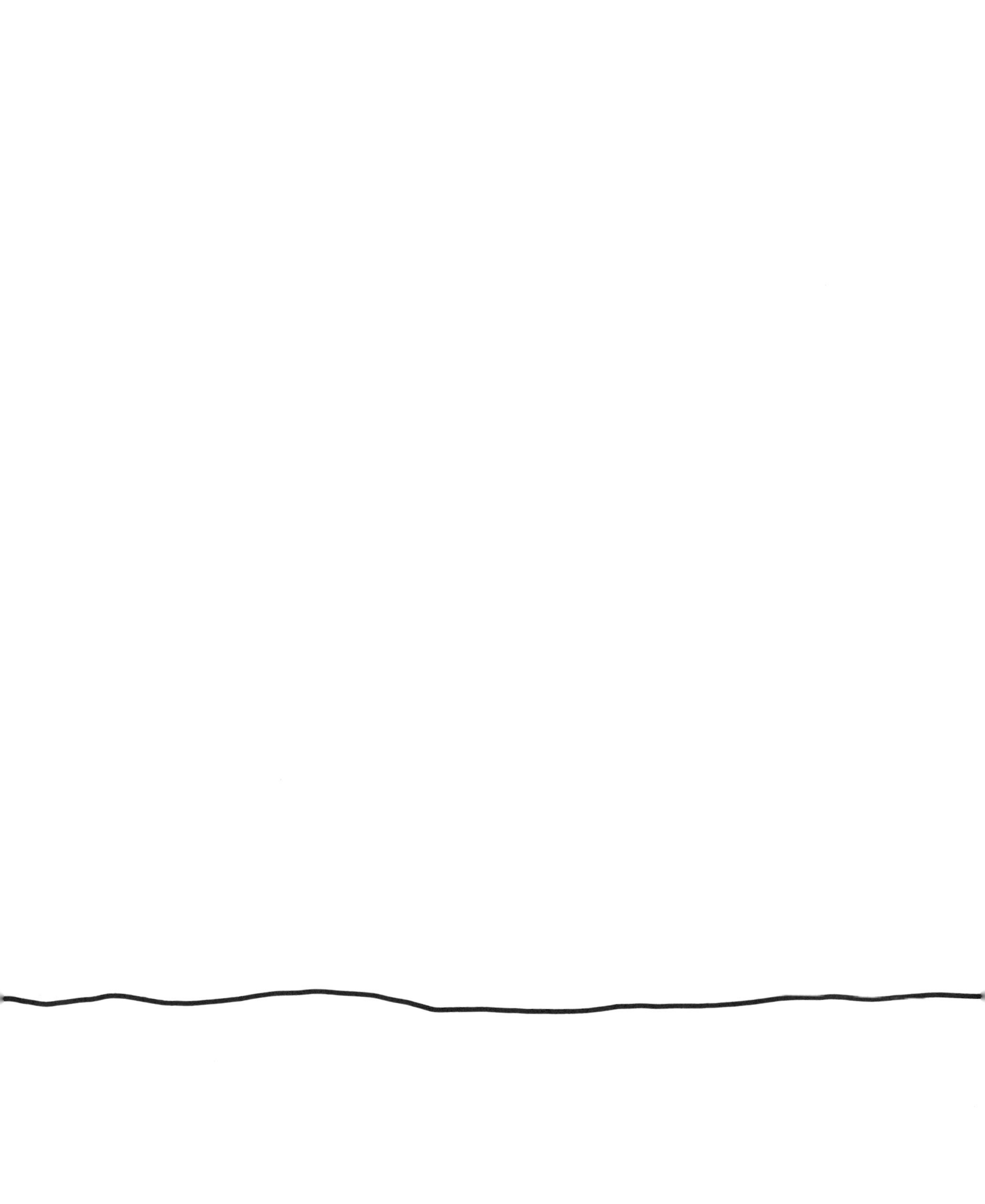

Então partiu em busca
de encontrar a outra parte.

Enquanto rolava,
cantava esta canção:

"Oh, busco a parte que falta em mim,
a parte que falta em mim.
Ai-ai-iô, assim eu vou,
em busca da parte que falta em mim".

Às vezes ele torrava ao sol,

mas logo caía a chuva refrescante.

E às vezes era congelado pela neve,
mas logo o sol aparecia e o aquecia novamente.

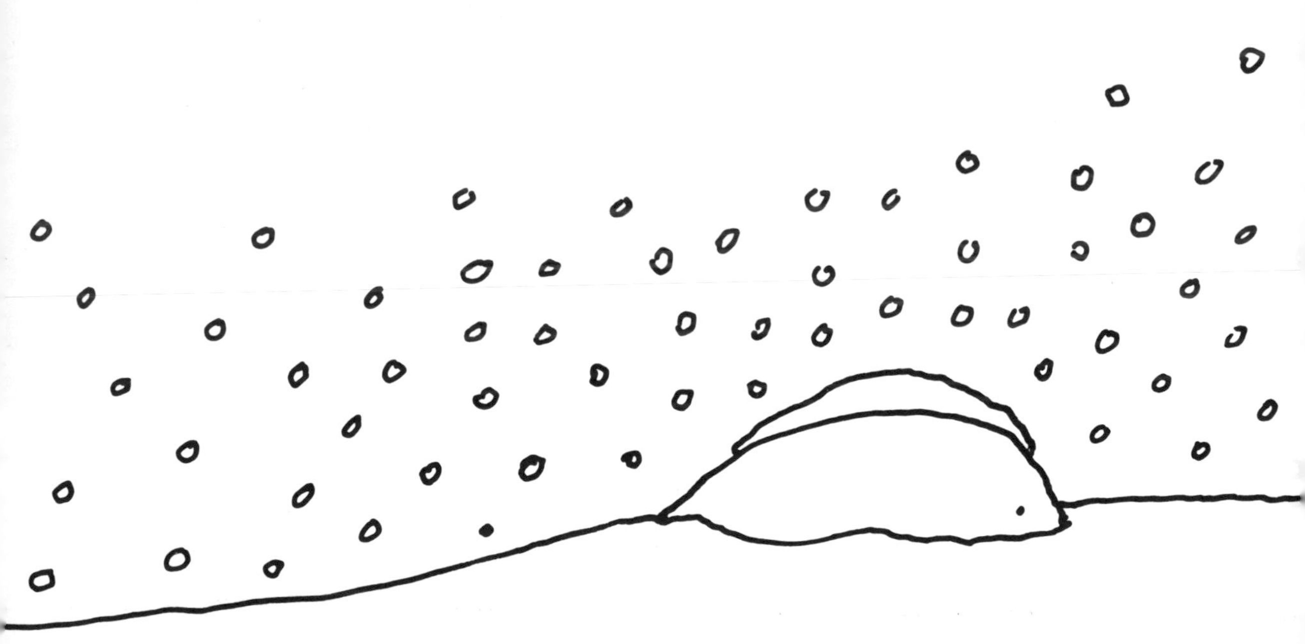

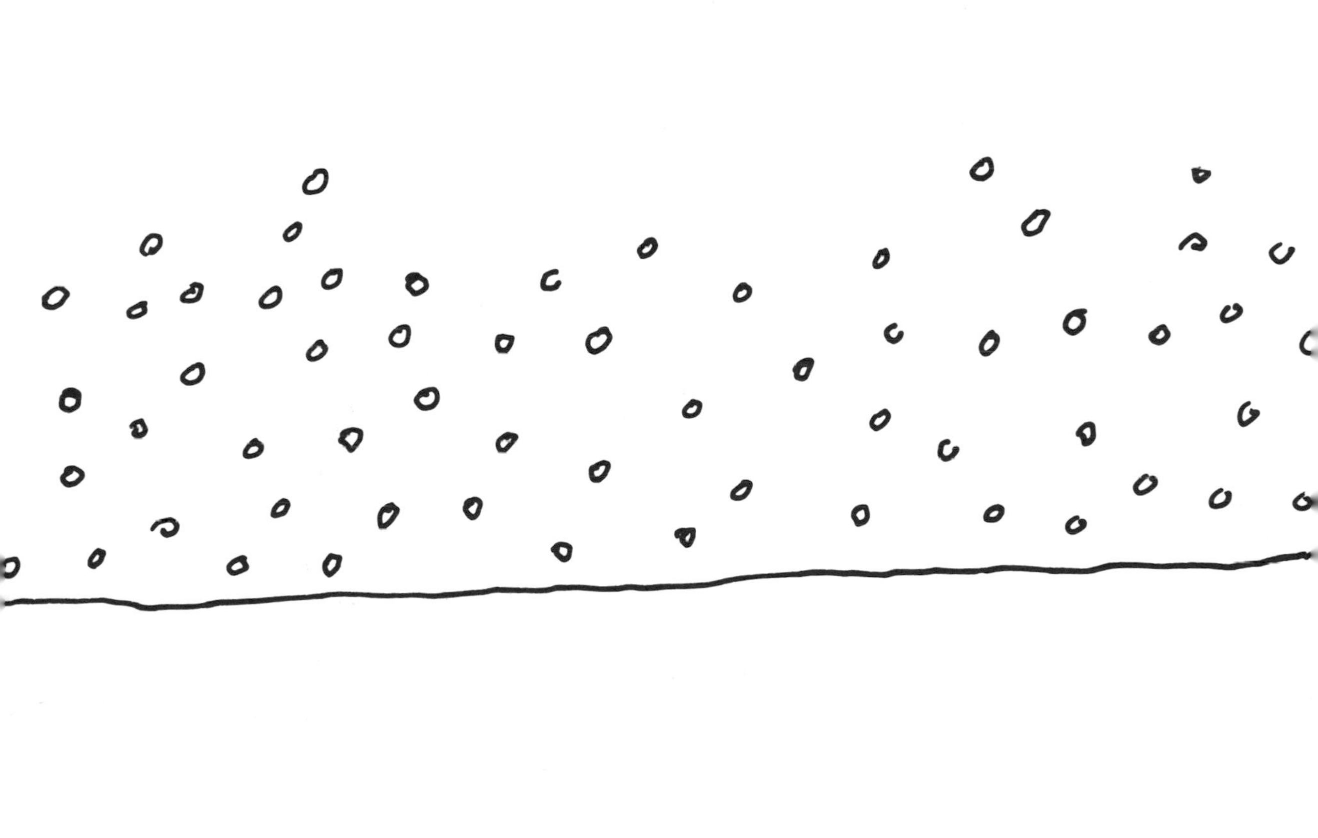

E como lhe faltava uma parte,
não conseguia rolar muito rápido.
Assim, podia parar
pra conversar com uma minhoca,

ou sentir o aroma de uma flor

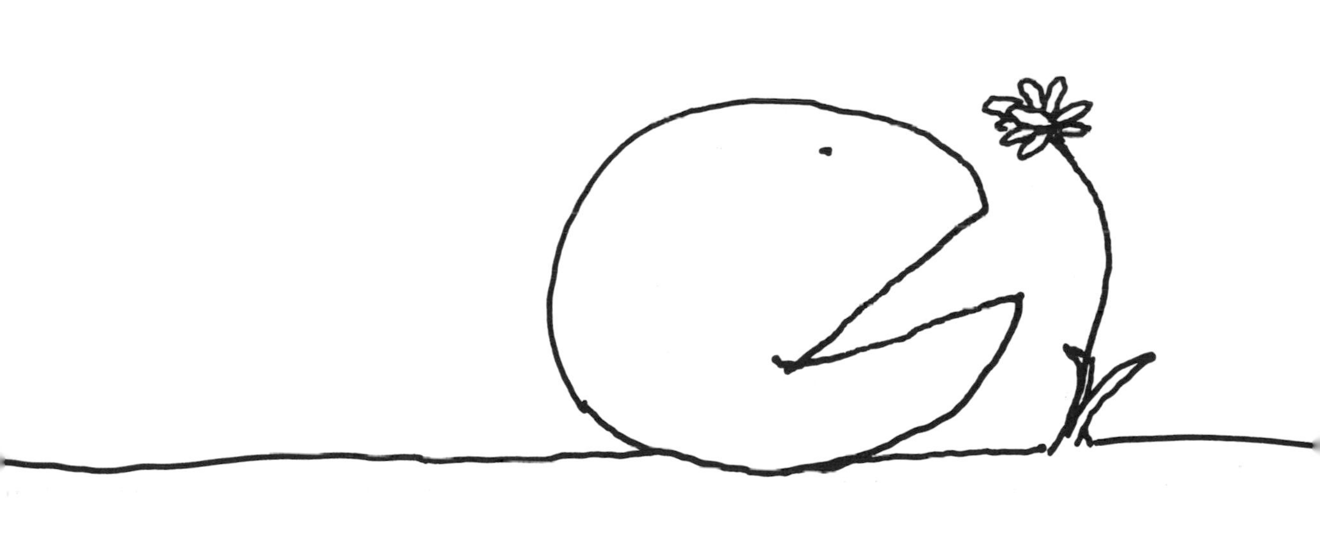

e às vezes ultrapassava um besouro

e às vezes o besouro o ultrapassava,

e este era o melhor momento de todos.

E ele seguia adiante,
por oceanos:

"Oh, busco a parte que falta em mim
por terras e mares sem fim,
asse o pudim, faça o quindim,
estou buscando a parte que falta em mim".

Passava por pântanos e matagais,

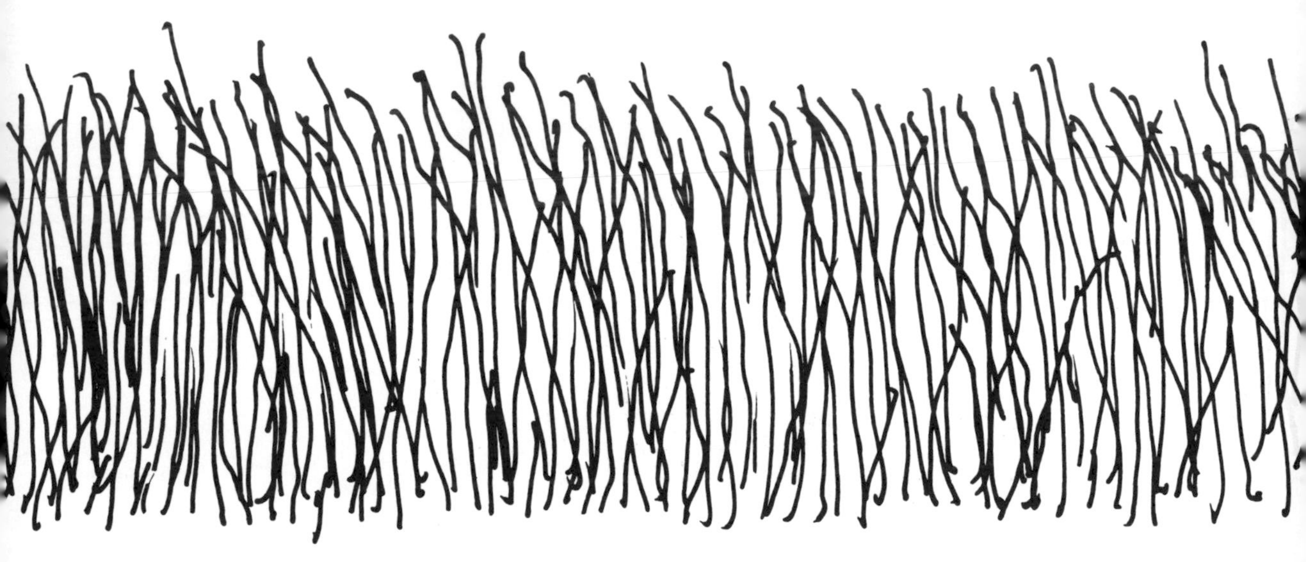

montanhas acima,

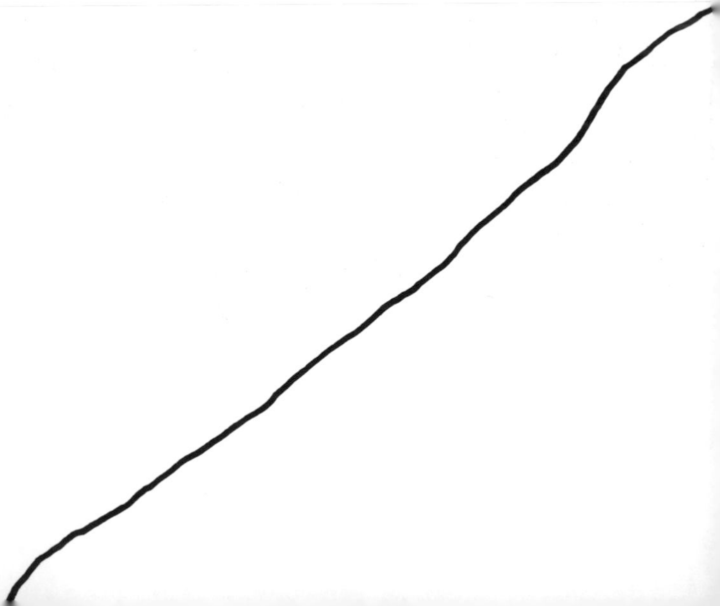

montanhas abaixo,

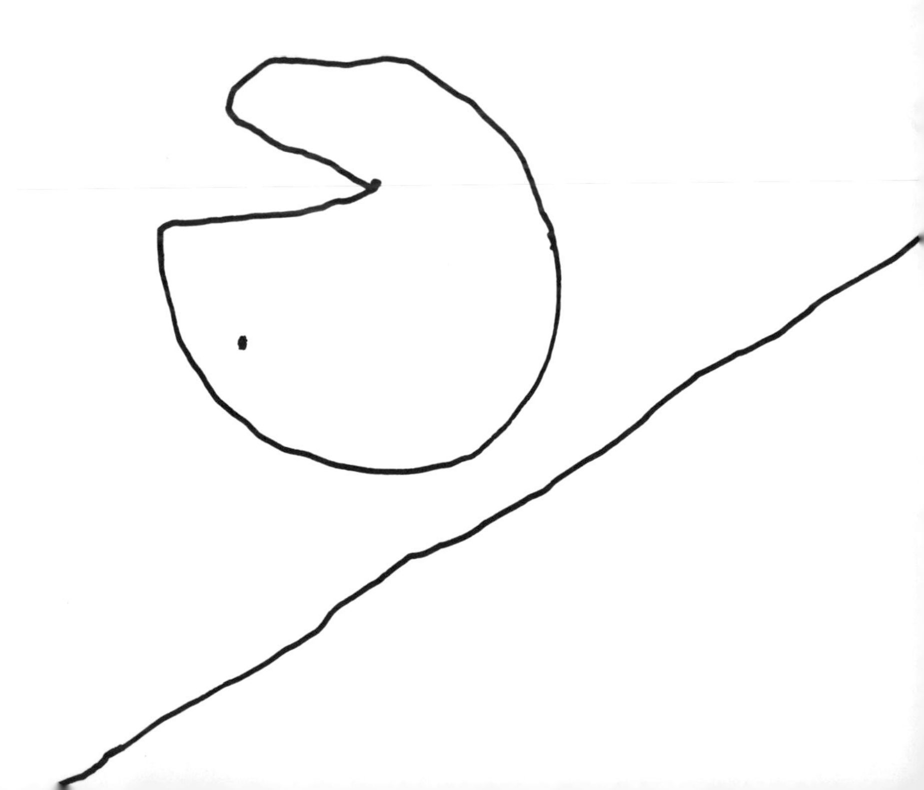

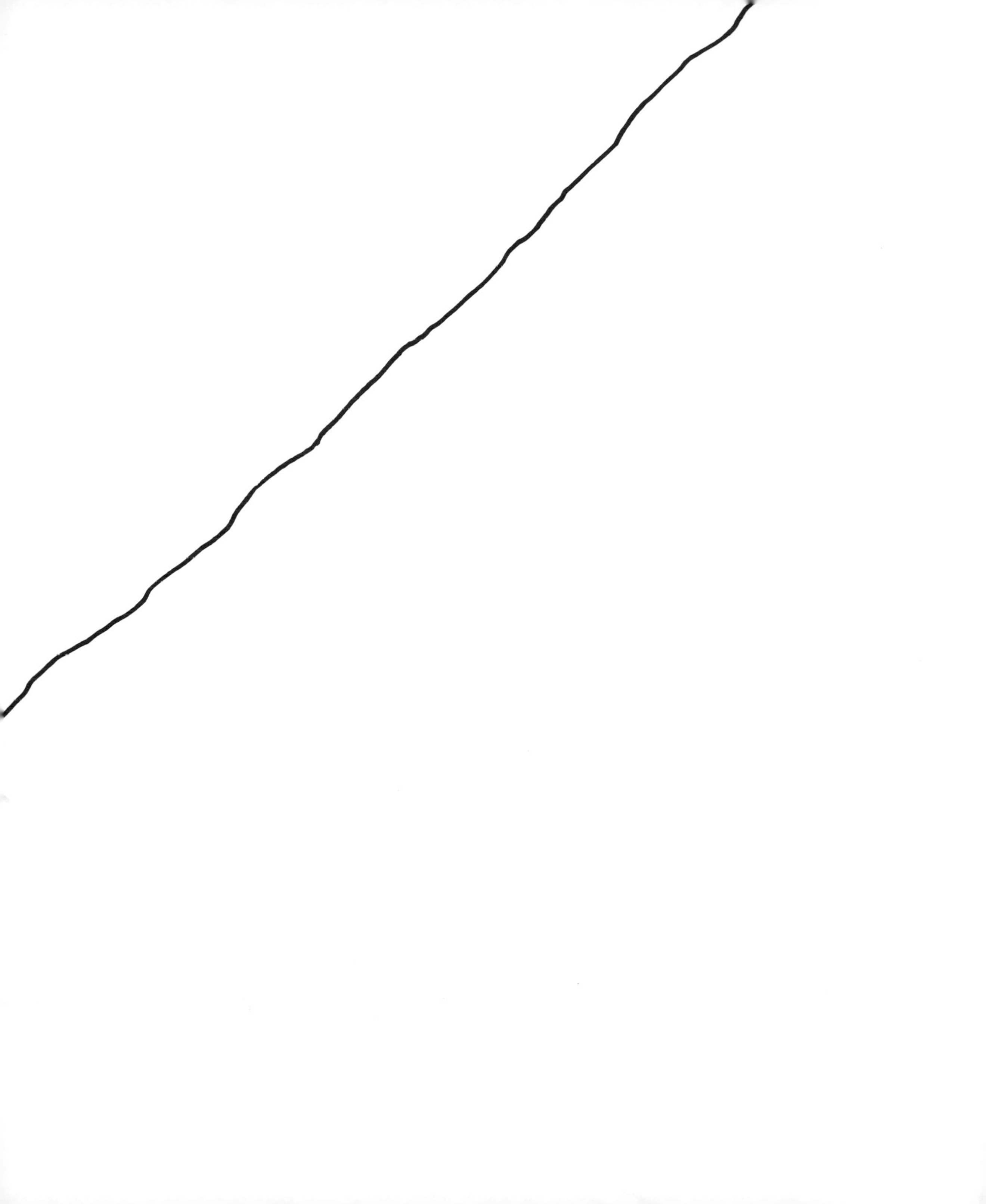

até que um dia – alto lá!

“Achei a parte que faltava em mim”,
ele cantou.
“Achei a parte que faltava em mim,
asse o pudim, faça o quindim,
achei a parte...”

“Espere aí”, disse a parte.
“Antes que você asse o pudim
e faça o quindim...

Não sou a parte que te falta.
Não sou parte de ninguém.
Sou parte completa.
E ainda que eu fosse
a parte que falta em alguém,
não acho que seria a sua!”

“Oh”, exclamou, com tristeza,
“me desculpe por tê-la incomodado.”
E continuou a rolar.

Achou uma outra parte,

só que ela era muito pequena.

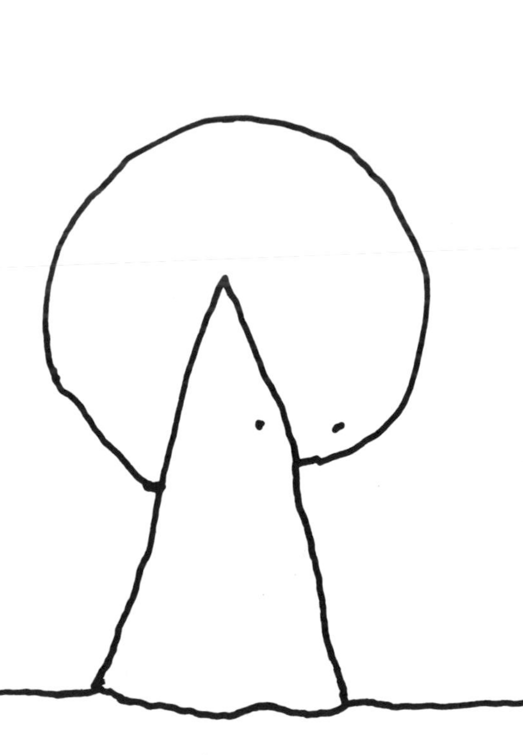

E esta, muito grande.

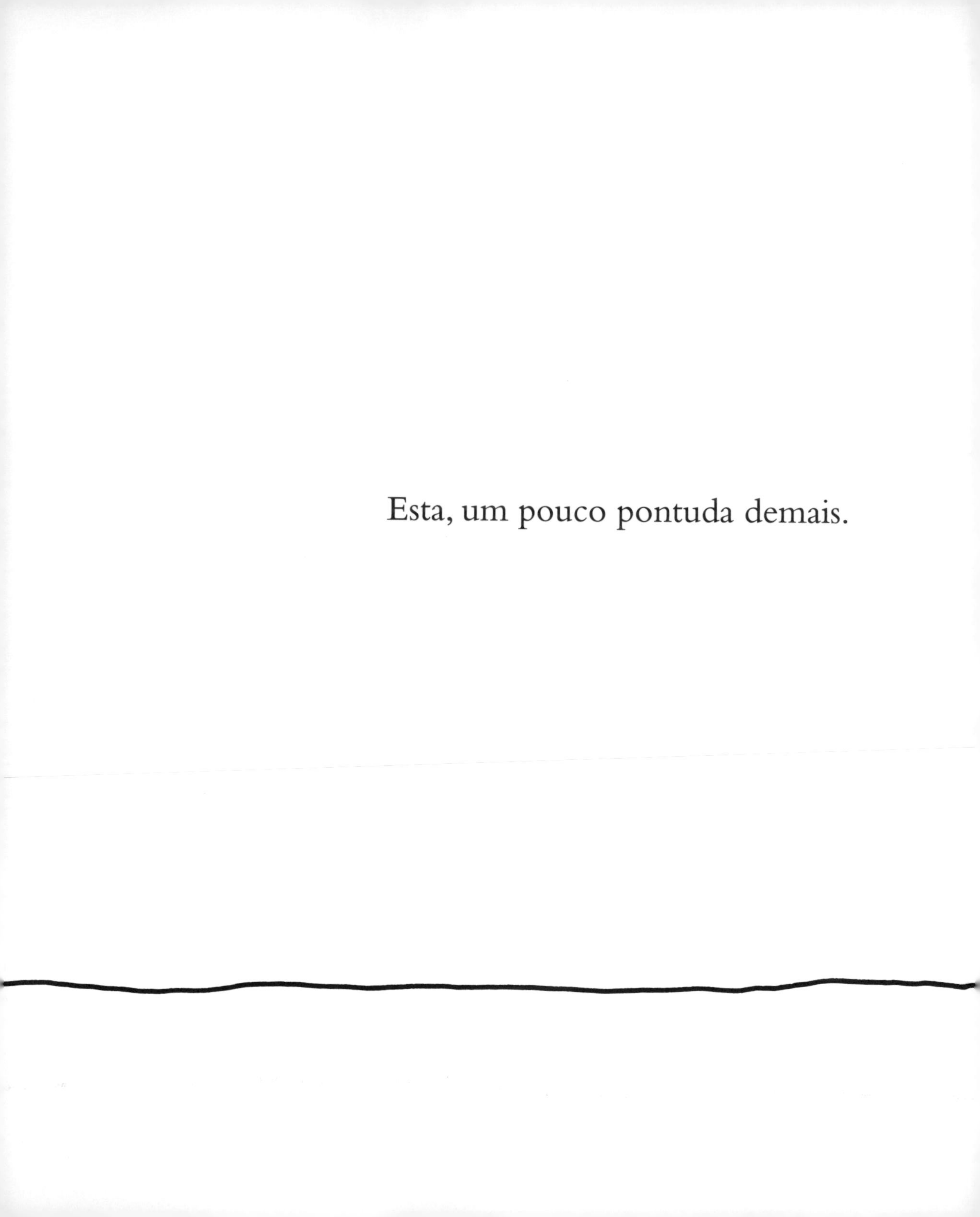

Esta, um pouco pontuda demais.

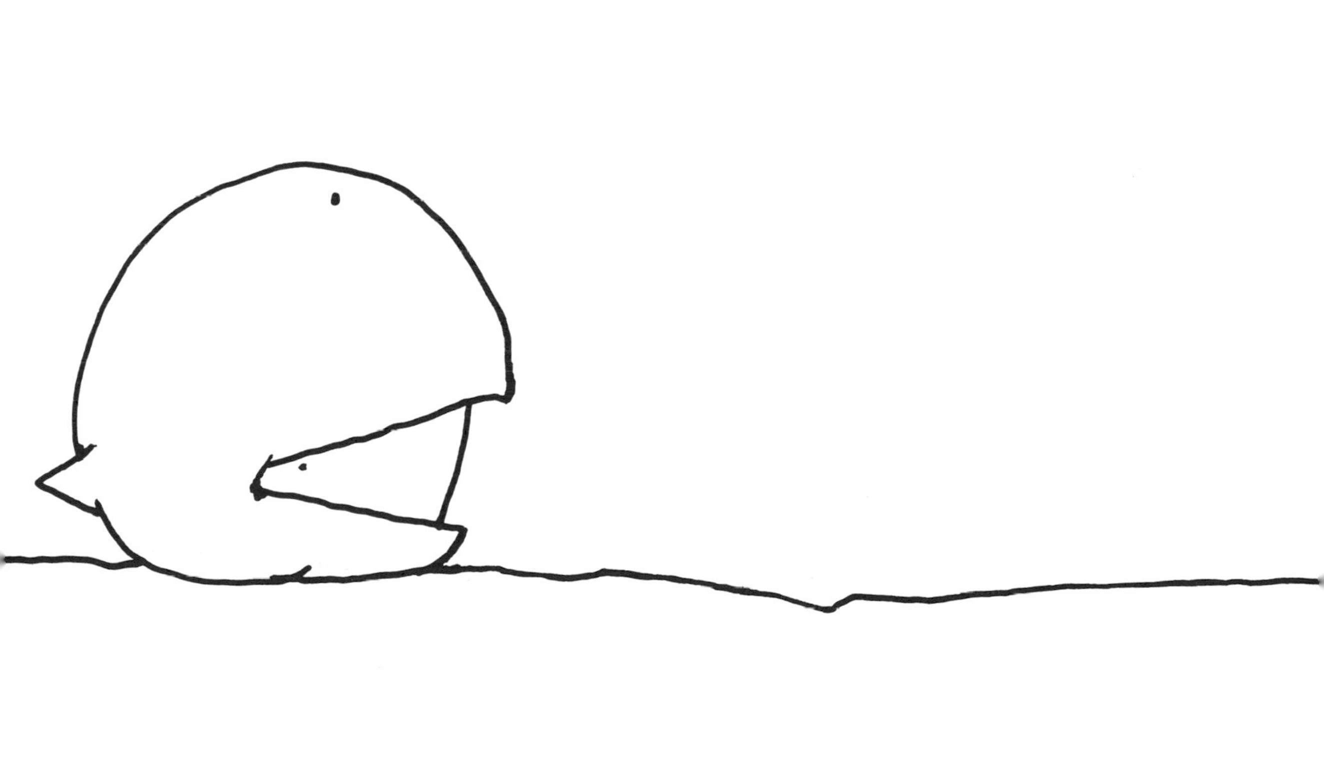

E esta, quadrada demais.

Certa vez, pareceu
que tinha achado
a parte perfeita,

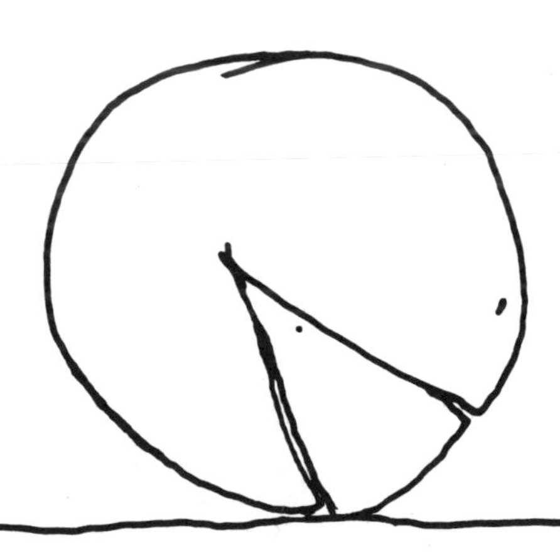

mas não a segurou forte o bastante

e a perdeu.

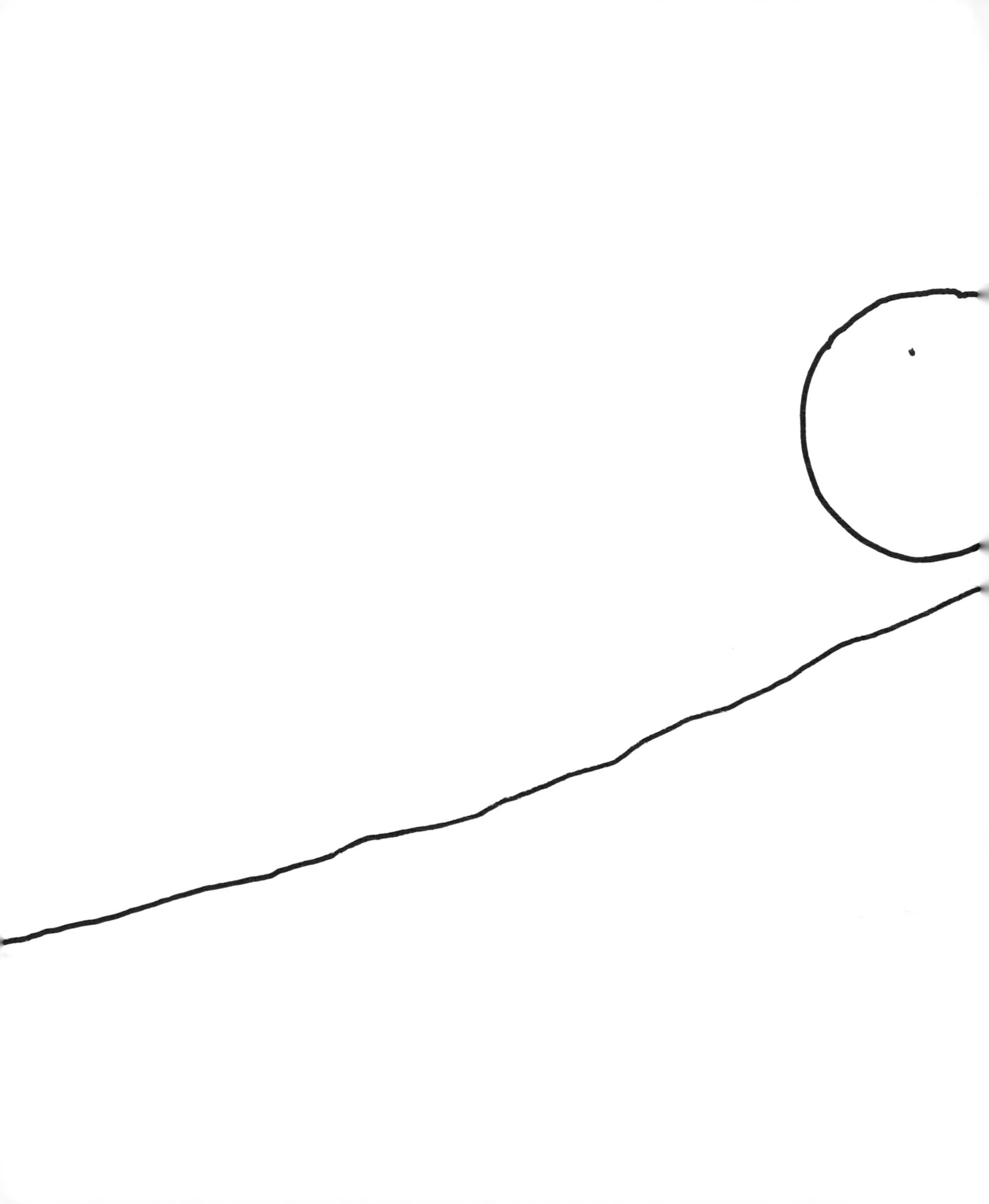

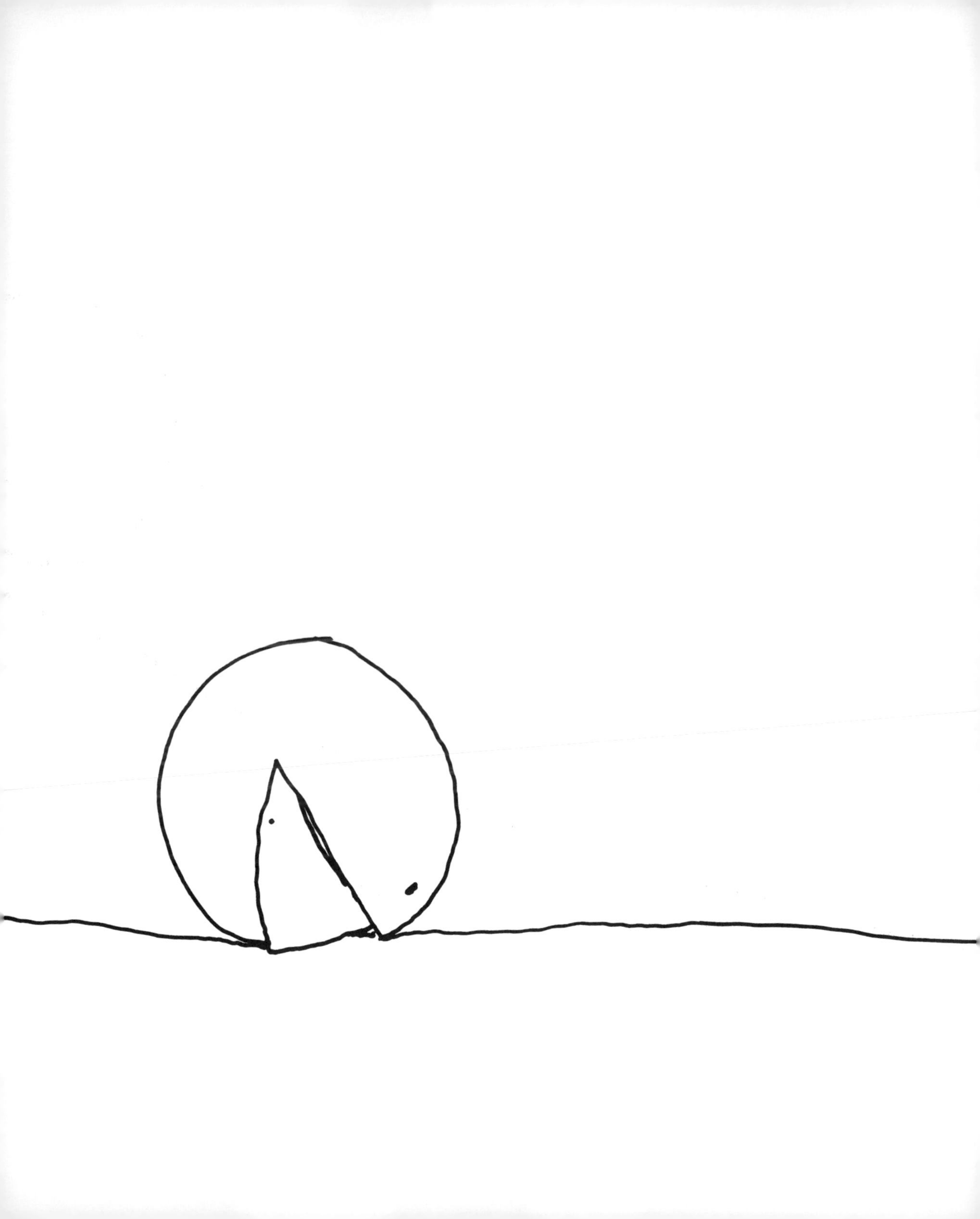

Na vez seguinte
segurou com força demais

e a quebrou.

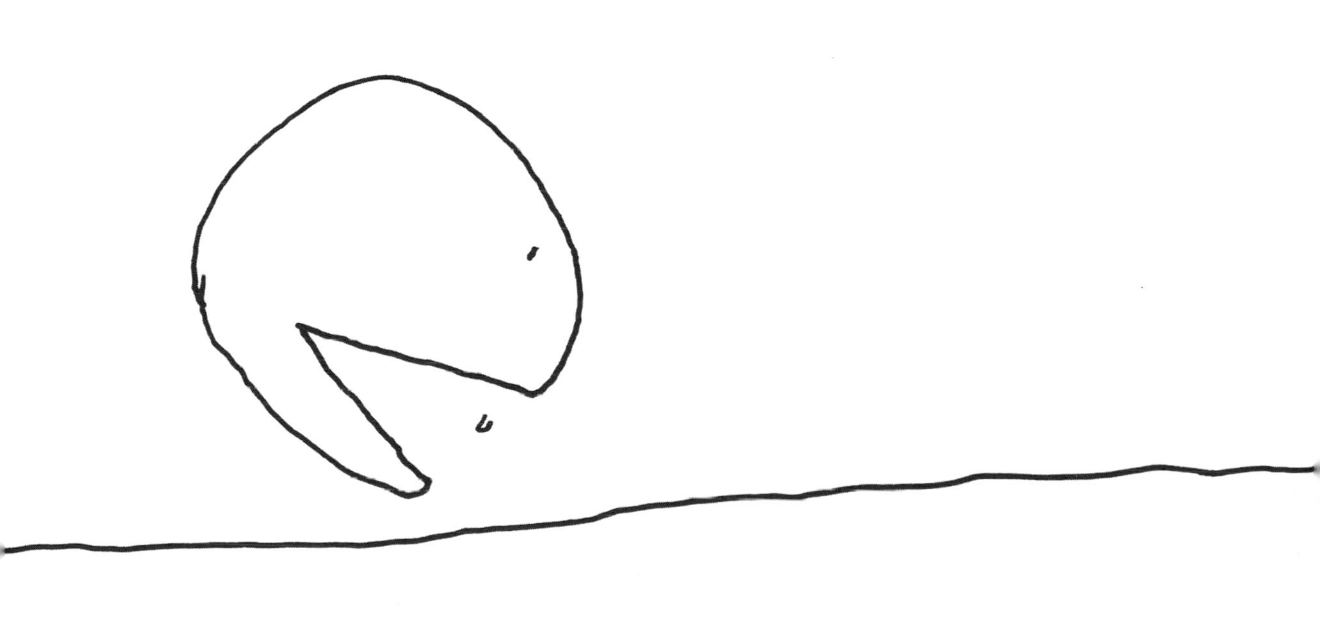

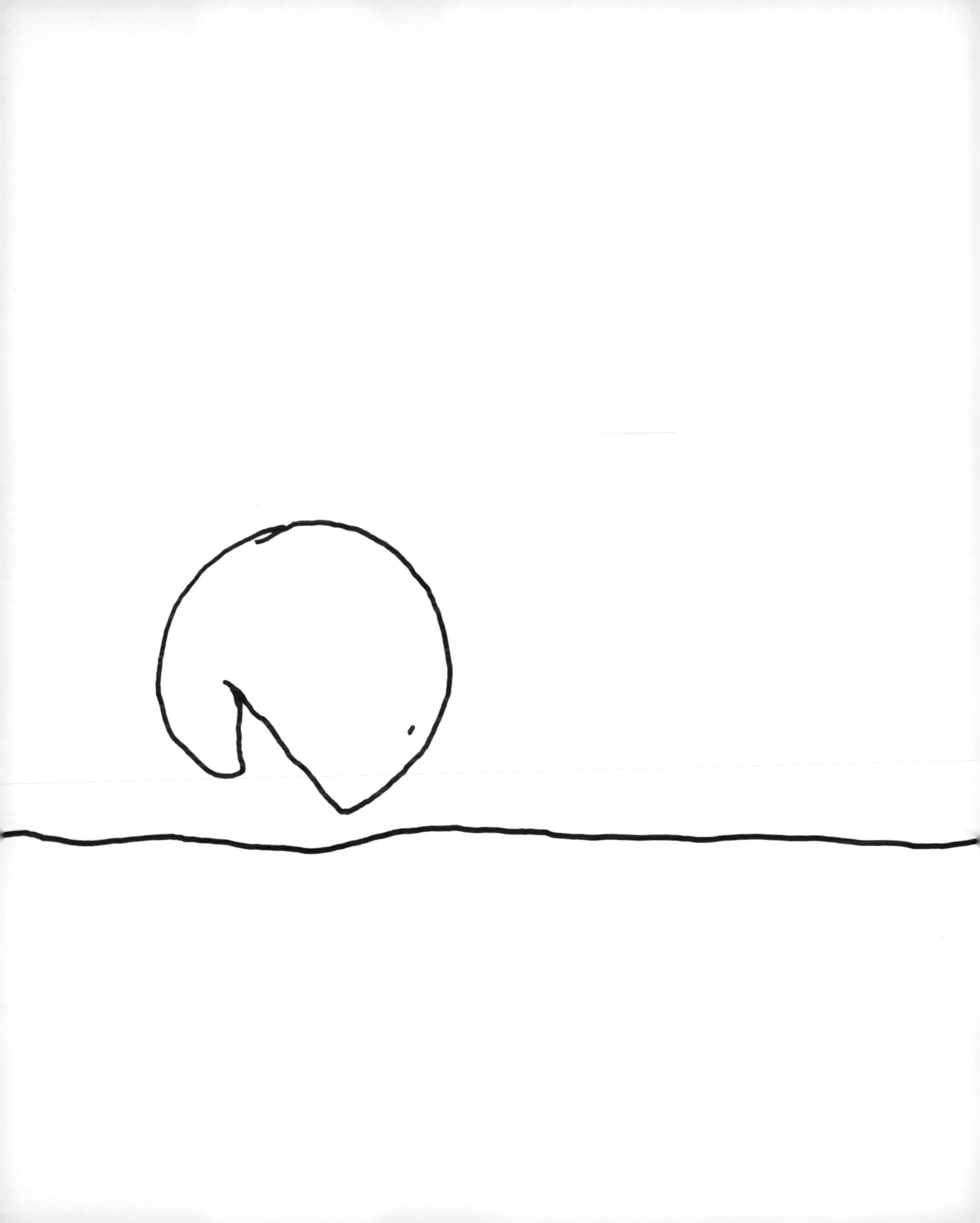

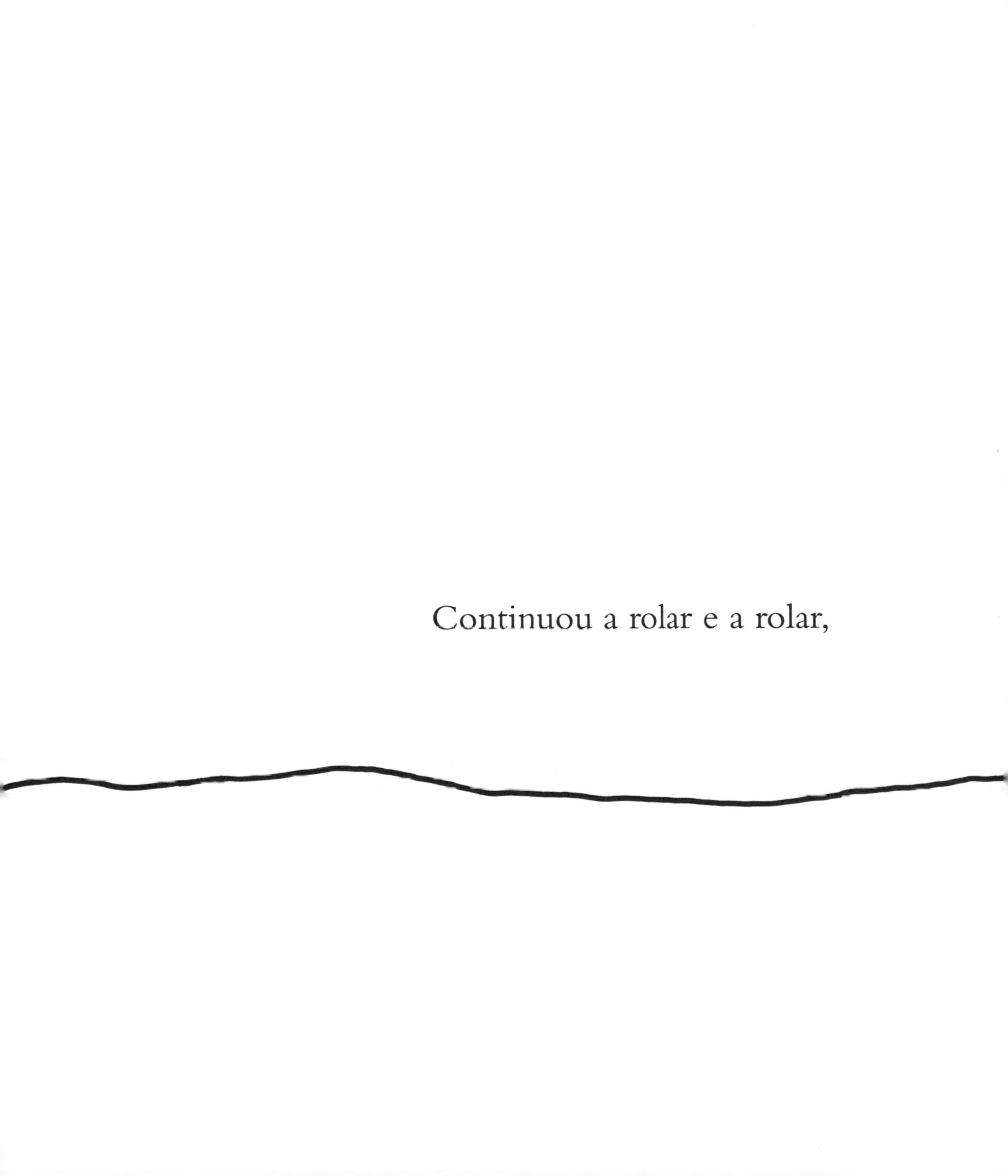

Continuou a rolar e a rolar,

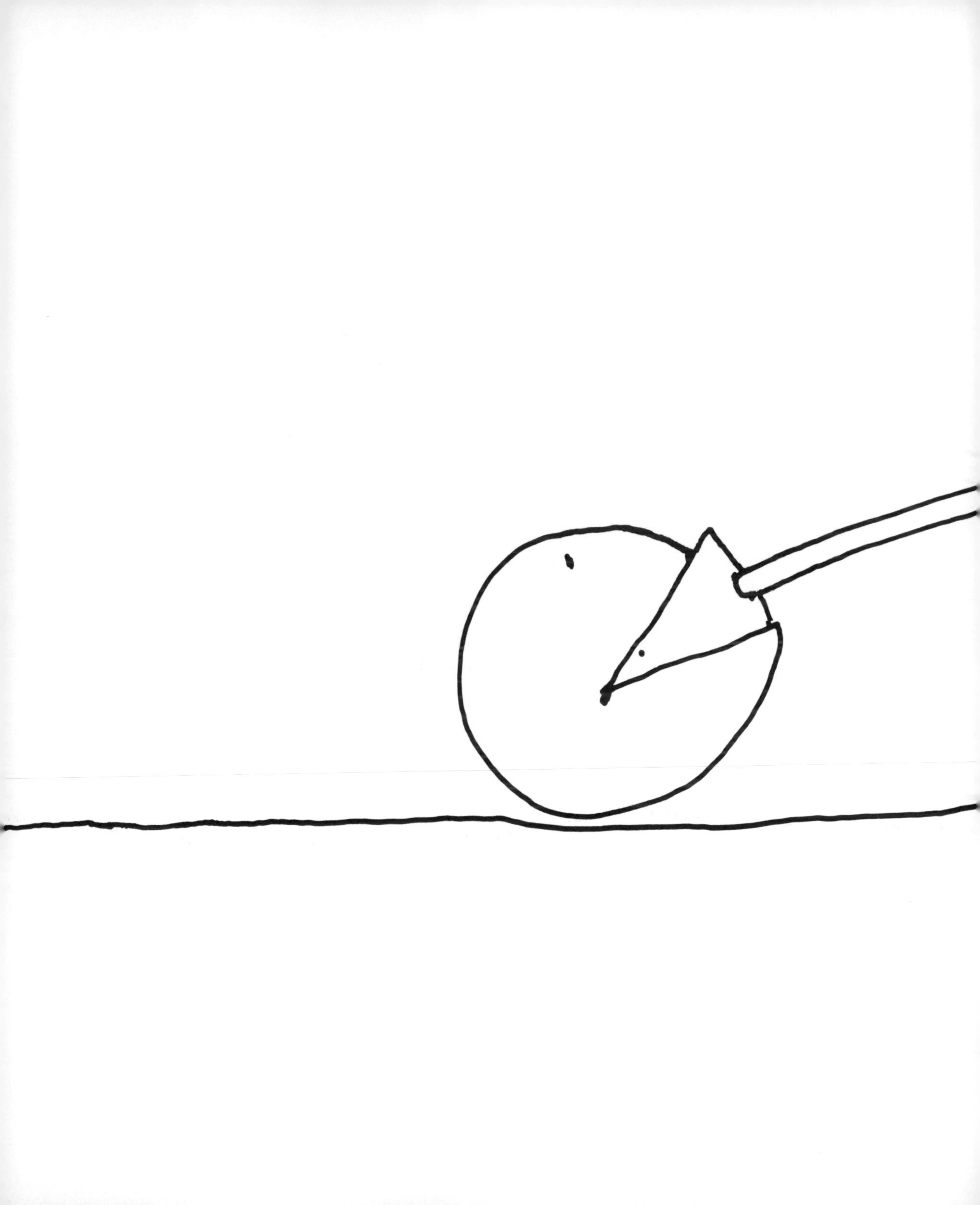

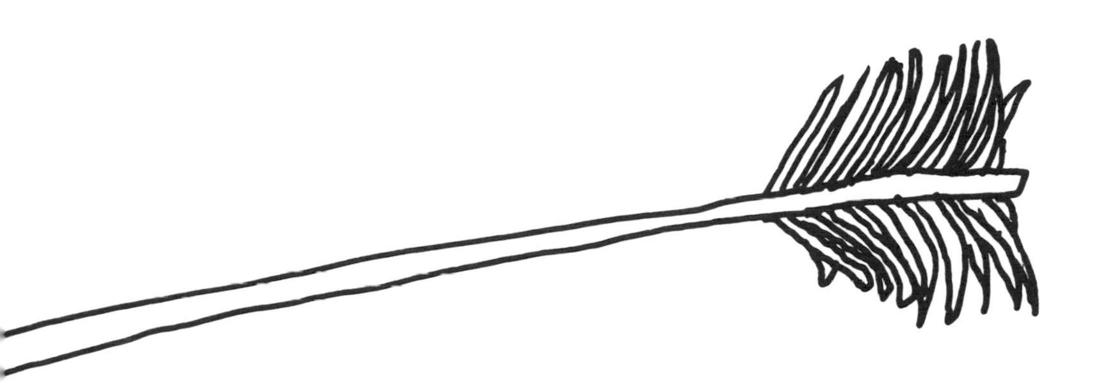

vivendo aventuras,

caindo em buracos

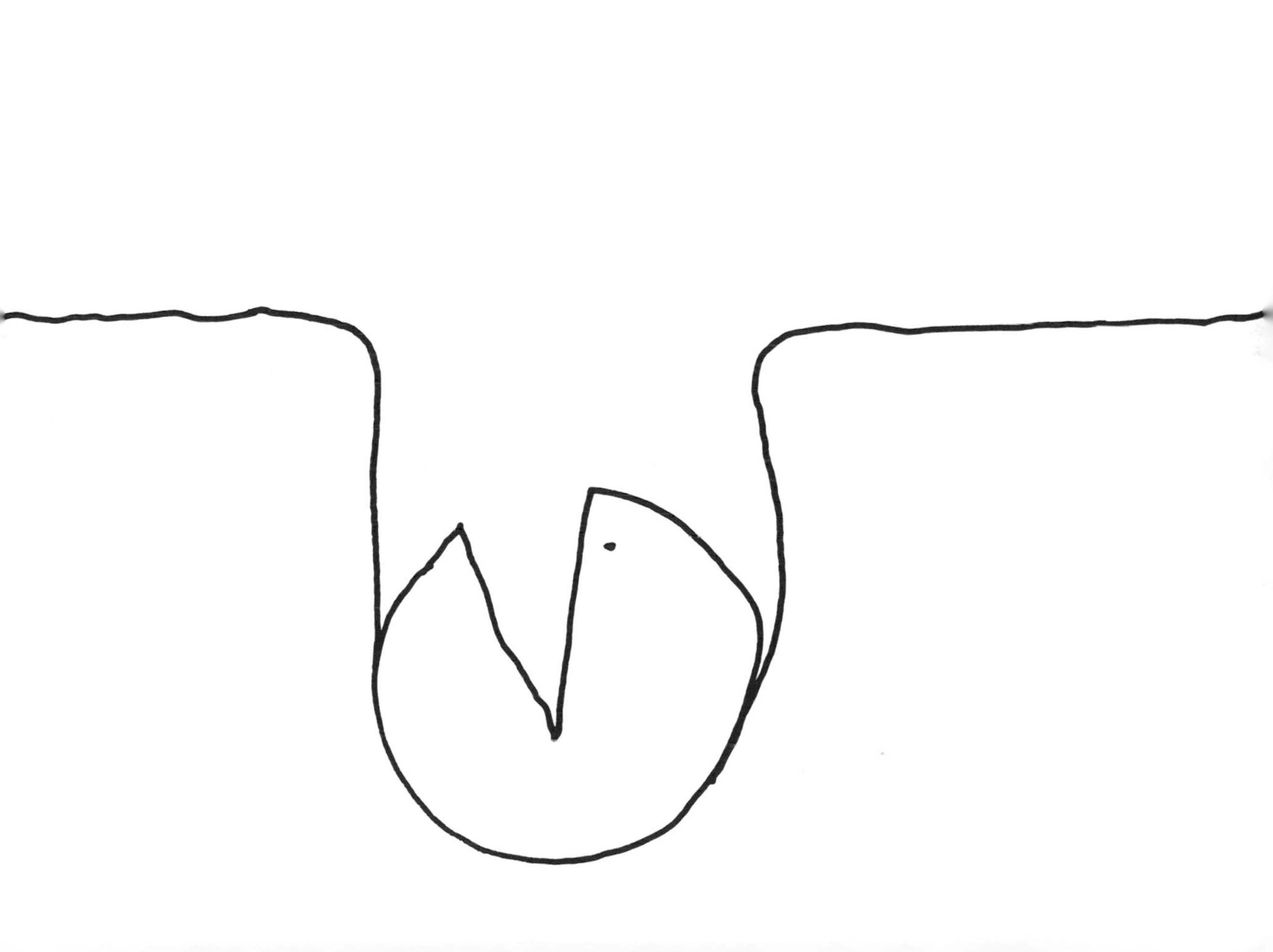

e trombando contra paredes de pedra.

Então, um dia, achou
uma outra parte
que parecia perfeita.

"Oi", disse.
"Oi", disse a parte.
"Você é parte de alguém?"
"Não que eu saiba."
"Bem, talvez você queira ser parte de si mesma, certo?"
"Posso ser de alguém e ao mesmo tempo ser de mim mesma."
"Bem, talvez não queira ser minha."
"Talvez eu queira."
"Talvez não dê encaixe..."
"Bem..."

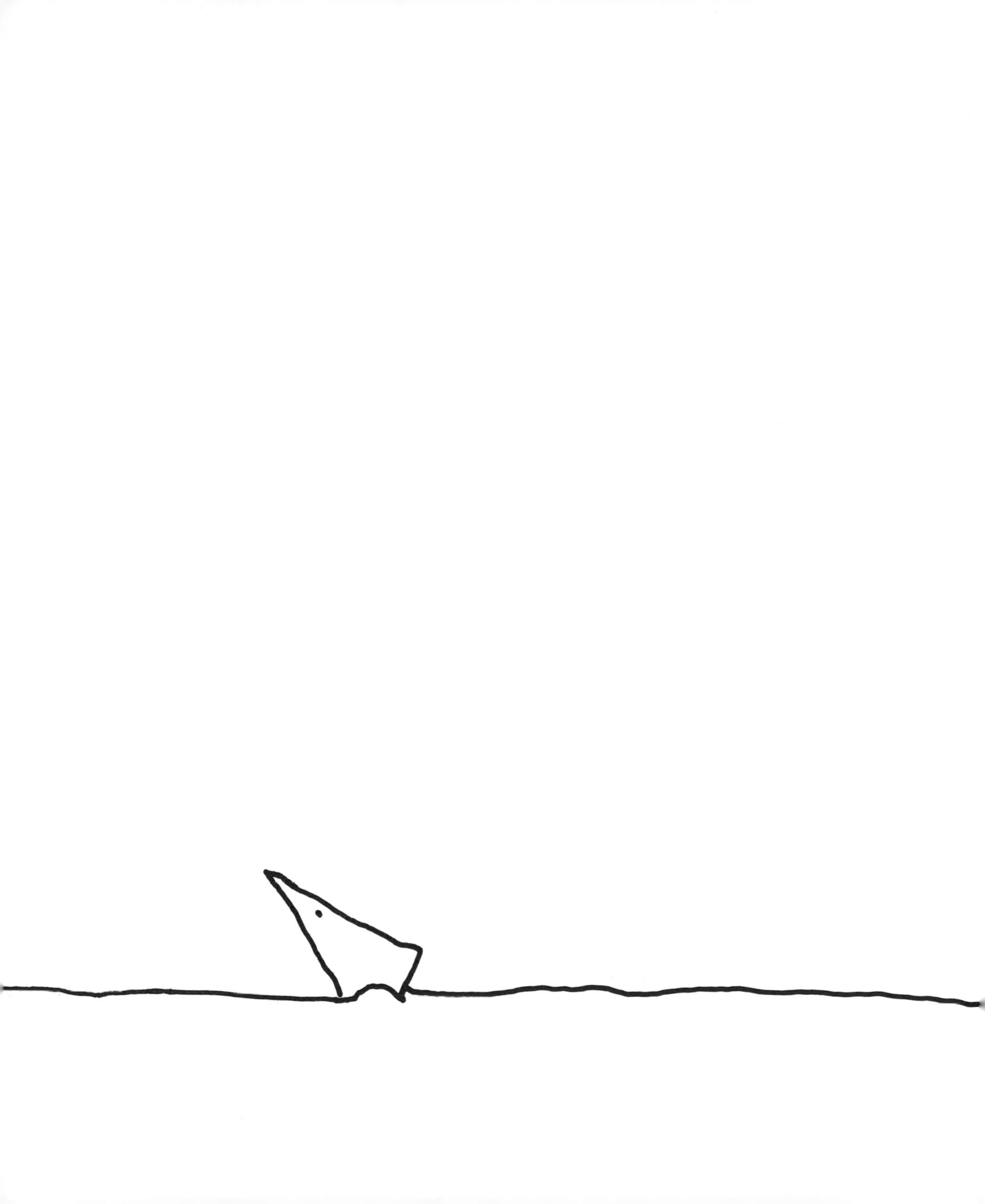

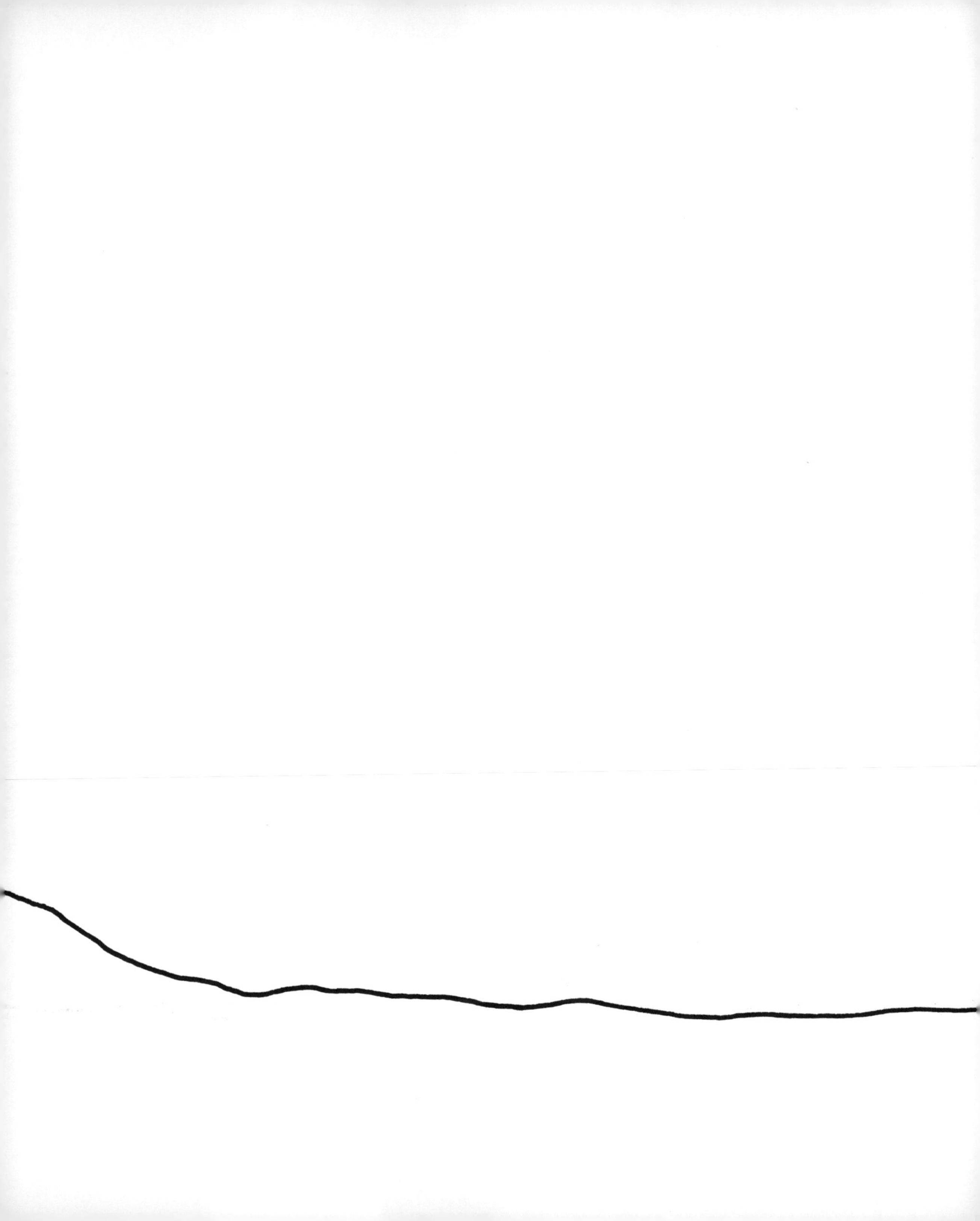

"Hummm?"

"Humhummm!"

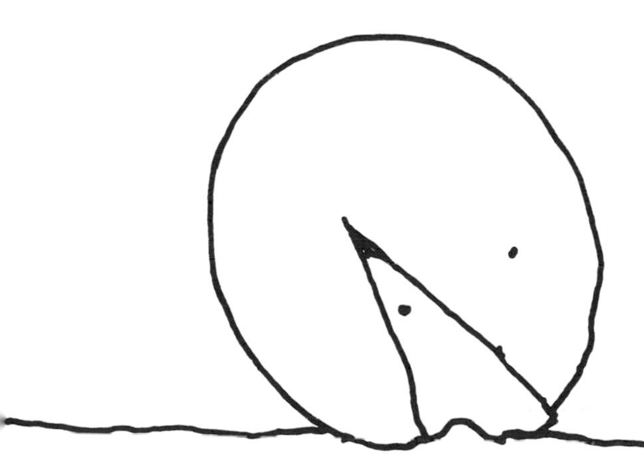

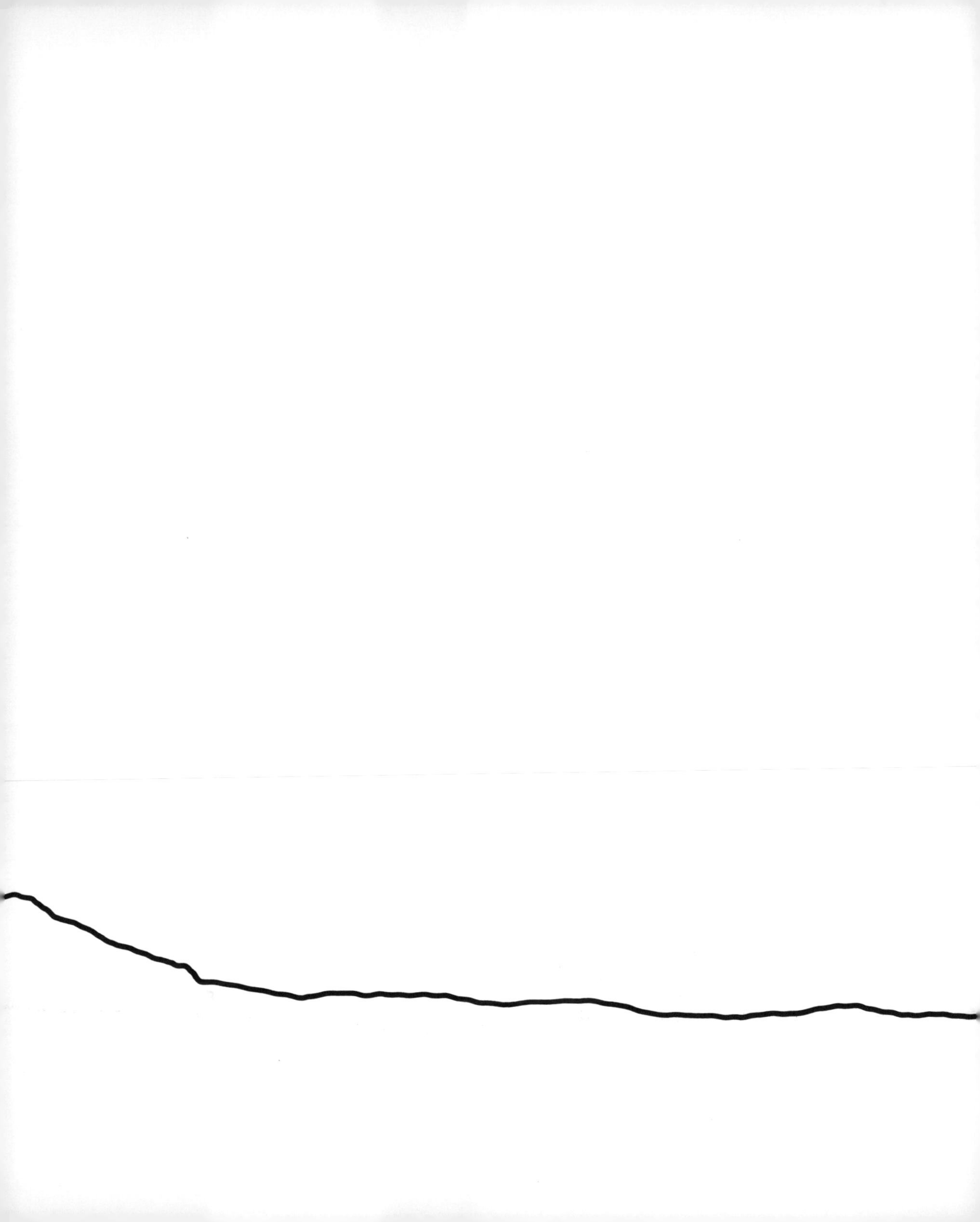

Encaixou!
Encaixou com perfeição!
Finalmente! Finalmente!

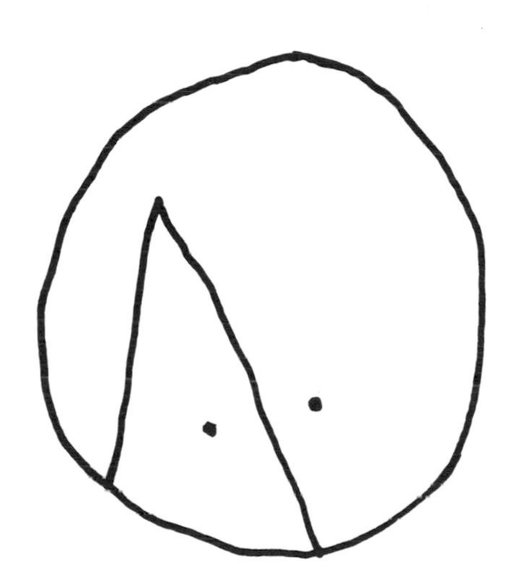

Rolou para longe
e, por estar
completo,
rolou mais
e mais rápido.
Mais rápido
do que jamais rolara!

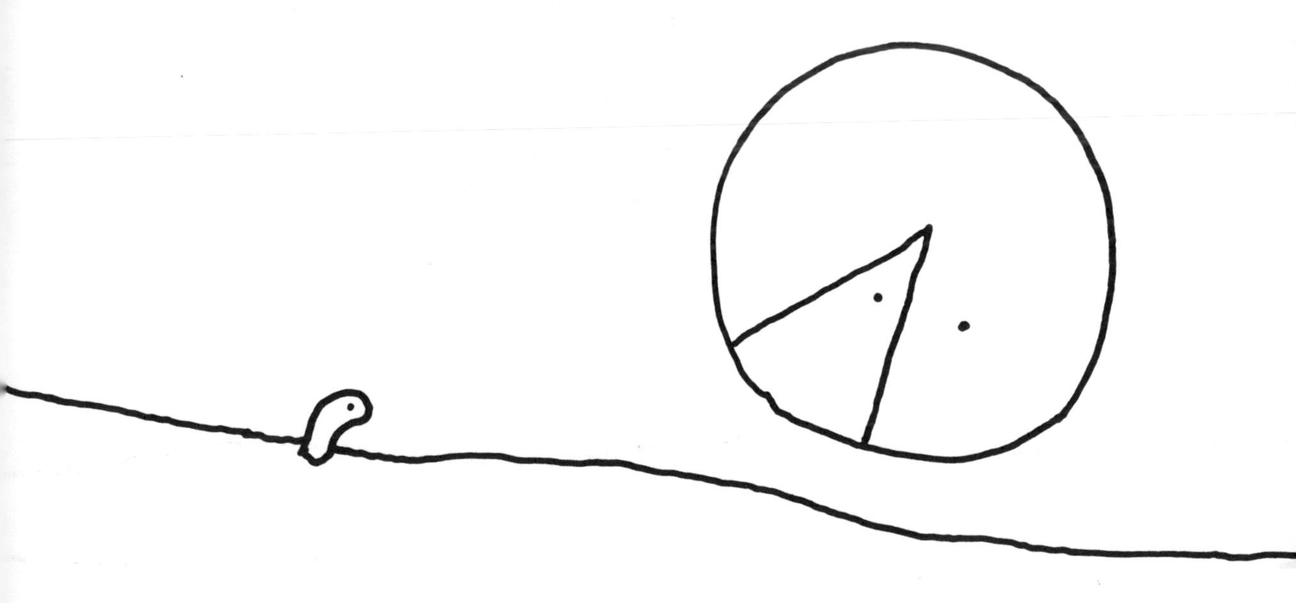

Tão rápido que nem podia
parar pra conversar com uma minhoca

ou sentir o aroma de uma flor,

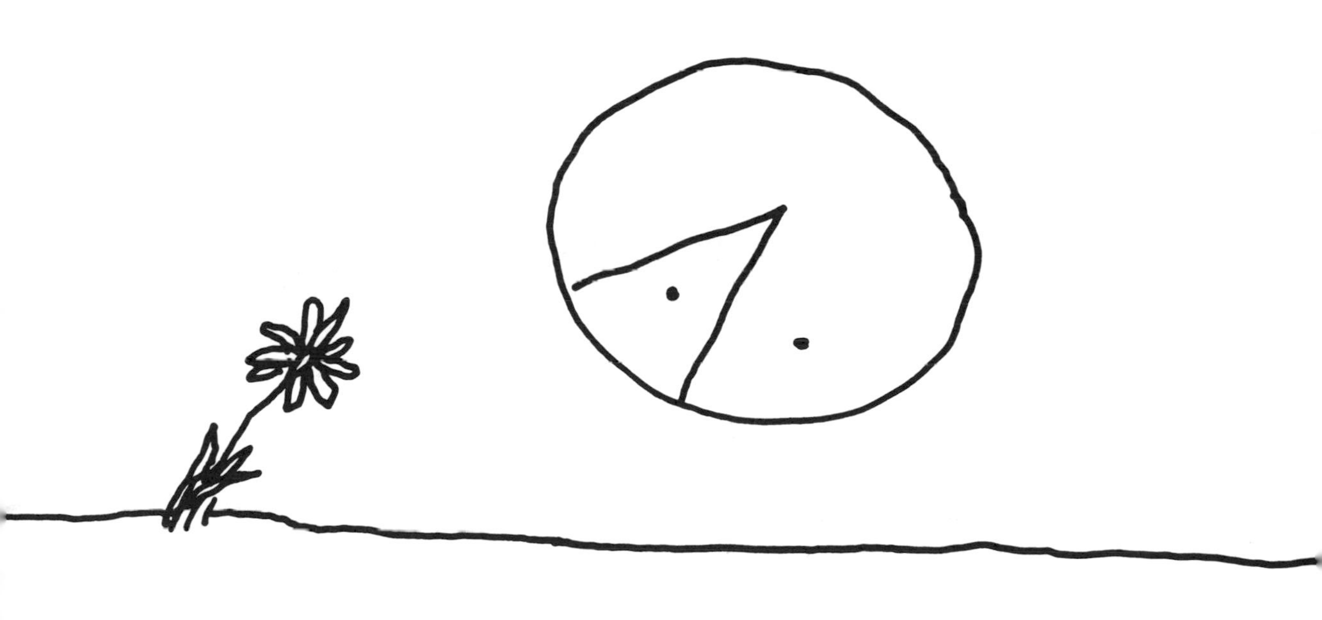

rápido demais para que
a borboleta pousasse nele.

Mas ele *podia* cantar sua canção alegre,
por fim, podia cantar
"Achei a parte que faltava em mim".

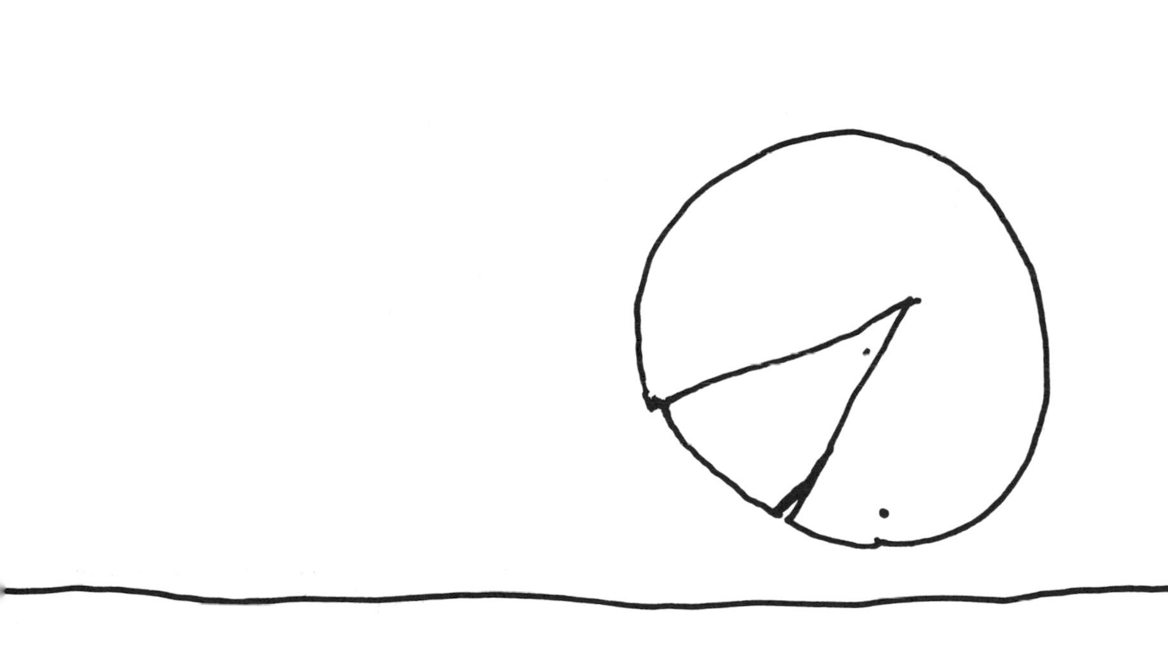

E se pôs a cantarolar:

"Azei a tate que taltaba im tim
azei a dade que daltaba im dim
tate o tutim,
data o dintim,
azei...".

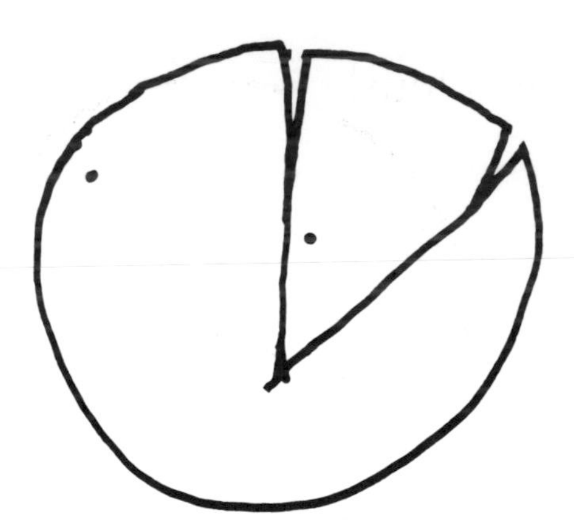

Meu Deus!
Agora que estava completo
não podia sequer cantar.

"Ah", pensou,
"então é *assim*!"

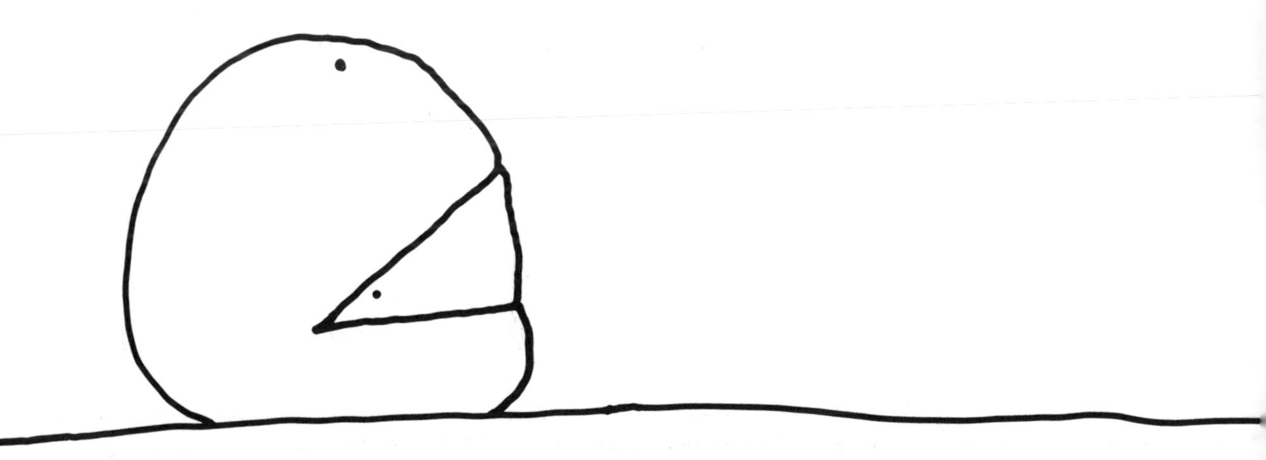

Então parou de rolar...

e, com cuidado, pôs a parte no chão

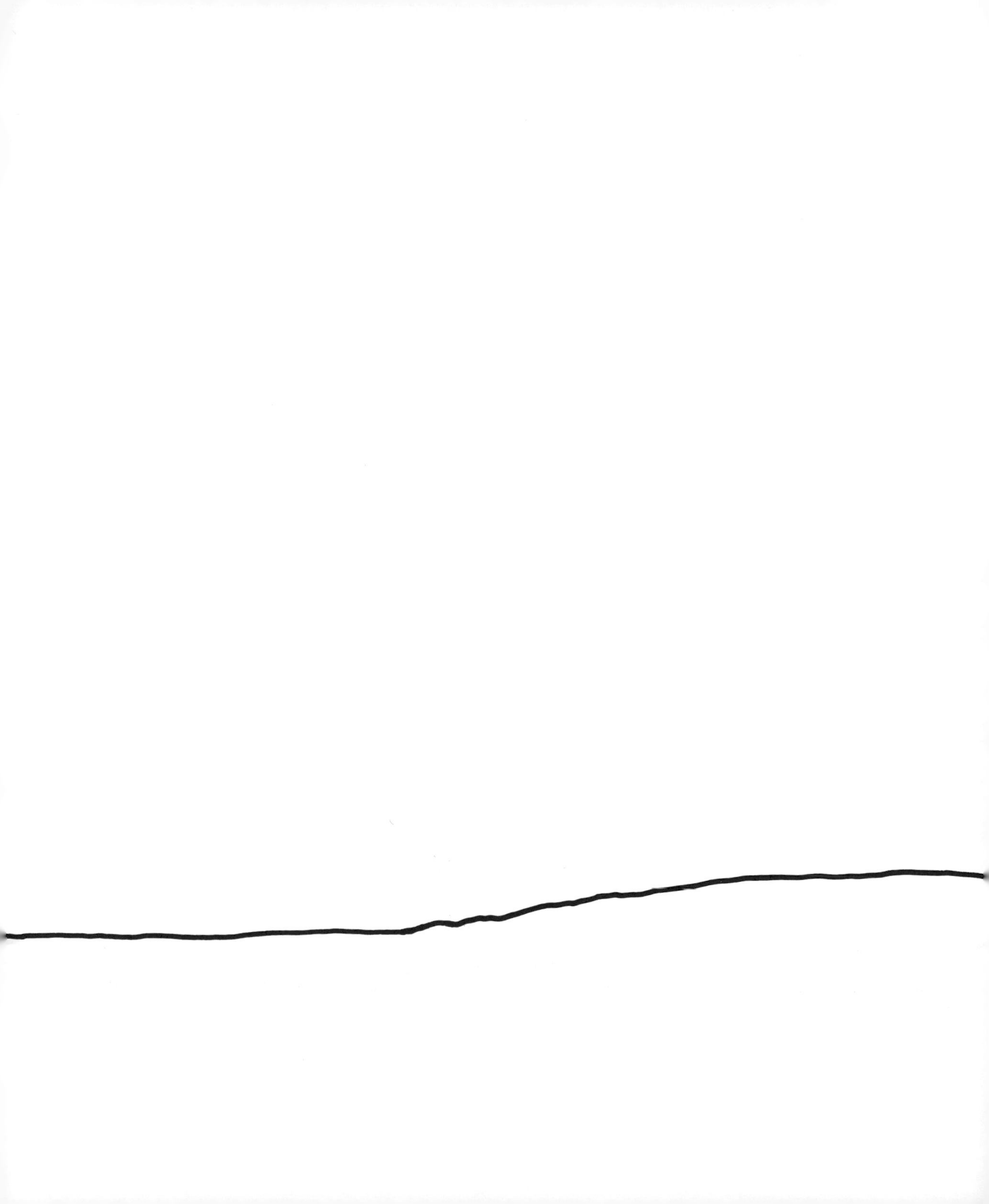

e rolou devagar para longe

e enquanto rolava, com uma voz suave cantava:

“Oh, busco a parte que falta em mim,
a parte que falta em mim.
Ai-ai-iô, assim eu vou,
em busca da parte que falta em mim”.

Sobre o autor e ilustrador

Em entrevista para a revista *Publishers Weekly*, em 1975, SHELDON ALLAN SILVERSTEIN (1930-99) confessou que quando criança "gostaria de ter sido um talentoso jogador de beisebol ou um sucesso entre as garotas. Mas eu não sabia jogar nem dançar. Então, comecei a desenhar e a escrever". Nascido em Chicago (Estados Unidos), Silverstein publicou suas primeiras histórias no jornal militar *Pacific and Stripes*, enquanto servia o exército americano na Coreia, nos anos 1950.

Seu trabalho chamou a atenção da revista *Playboy*, na qual colaborou durante seis anos e ganhou notoriedade internacional.

Em 1961, estreou com o romance *Uncle Shelby's ABZ Book*, que despertou a curiosidade de um editor de livros infantis. Dois anos depois, Silverstein lançou sua primeira publicação para crianças, *Leocádio, o leão que mandava bala*. Desde então, não parou de escrever. Muitos de seus livros, como *Uma girafa e tanto*; *Leocádio, o leão que mandava bala*; *Quem quer este rinoceronte?*; *Fuja do Garabuja*; *A parte que falta* e *A parte que falta encontra o Grande O*, foram traduzidos em dezenas de países. Mas foi *A árvore generosa* que o consagrou no mundo todo.

Silverstein também se popularizou como letrista de música, especialmente no estilo country. Arriscou-se, ainda, a escrever algumas peças de teatro e roteiros de cinema, sendo o mais famoso *Things Change* (1988), em coautoria com David Mamet.

A marca FSC® é a garantia de que a madeira utilizada na fabricação do papel deste livro provém de florestas que foram gerenciadas de maneira ambientalmente correta, socialmente justa e economicamente viável, além de outras fontes de origem controlada.

Esta obra foi composta em Bembo e impressa pela Lis Gráfica em ofsete sobre papel Alta Alvura da Suzano Papel e Celulose para a Editora Schwarcz em março de 2018